ENRIQUE GRANADOS

DANZAS ESPAÑOLAS

PARA PIANO

UNION MUSICAL EDICIONES S.L.

ENRIQUE GRANADOS

DANZAS ESPAÑOLAS

UNION MUSICAL EDICIONES S.L.

No. 1 GALANTE

© This Edition Copyright 1992 by Union Musical Ediciones, S.L. Madrid (España)

Allegro.
p
cresc.
p
Ped.
Ped.
Poco Andante.
cantabile
dim e poco rit.
più mosso
rit.
a tempo

rit.
Tempo I.
ff
Andante.
fp
p
Allegro.
p
cresc.
ff
Andante.
Allegro.
f
ff
molto cresc.
ff
p
Ped.
*

No.2 ORIENTAL

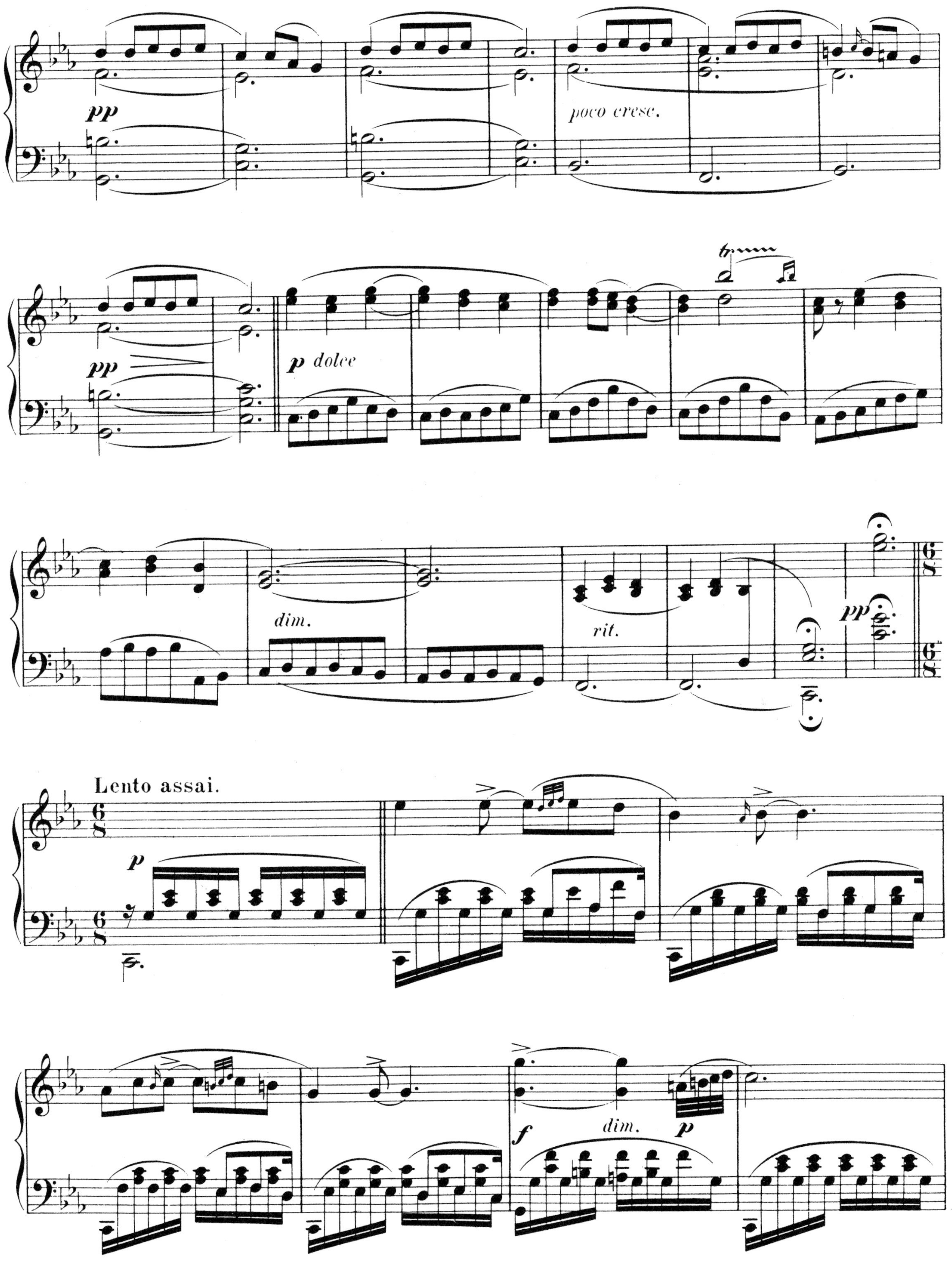

pp
poco cresc.
pp
p dolce
dim.
rit.
pp
Lento assai.
p
f
dim.
p

rit. un poco
a tempo
p
dim.
una corda
f
rit. e dim.
p
Andante.
p
dolce

poco sf
poco sf
pp
poco rit. e dim.
pp
poco cresc.
pp
p dolce
dim.
rit.
pp

No.3 FANDANGO

rit. e dim.
p
cresc.
f
fp
fp
rit. un poco
a tempo
f

meno mosso
p cantabile
tr
tr
dim. e rit.
Energico.
f
f

f
dim e rit.
a tempo
p
cresc.
f
fp
rit.

a tempo
p
cresc.
f
meno mosso
p cantabile
dim. e rit.
a tempo
p

tr
Allegro maestoso.
dim. e rit.
ff
8
sempre più allegro e cresc.
mp
sempre e animando e più f
fff

No.4 VILLANESCA

12
12
12
12
Andante espress.
a tempo
8
12

Andante espressivo.
a tempo
rit.
Cancion y estribillo.
Molto Andante.
poco cresc.
tr
rit.
cresc.
poco dim.
tr
rit.
a tempo

poco a poco cresc.
ff
8
8
12
12
12
12

Andante espressivo.
a tempo
12
12
Andante espress.
rit. molto e dim.
pp

No.5 ANDALUZA

marcando
ff
p
ff
Ped.
più p
rit.
a tempo
dolce
più dolce e rall.
dim.
morendo
Andante.
leg.molto
con molta espressione poco f
meno
sf
p
rit. pp

a tempo
poco più mosso.
meno
rit.
p
molto rit. e dim.
Andante molto.
Tempo I.
p
p

ff
marcando
ff
p
più p
Ped.
rit.
a tempo
dolce
più dolce rall.
dim.
rit. molto
morendo

No.6 RONDALLA ARAGONESA

cresc.
fff
Vivace.
sempre ff
Andante.
p
sempre dim. e rit.
rit.
rit. molto

Molto Andante, espressivo.
Copla.
Canto
a piacere
rit.
a tempo
con fantasia
a tempo
a piacere
a tempo
a piacere
con molta fantasia
più espressivo
a tempo
a piacere
con molta espressione
a tempo
poco rit.
a tempo
a piacere
p cresc.
molto rit. e con molta
espressione
a tempo
dim. poco a poco rit.
rit.
1.
2.

Tempo I.
p
poco a poco cresc.
poco più f
sempre accel. e cresc.
cresc. sempre e animando molto
sempre più ff e accel.

cresc.
fff
8
Vivace.
sempre ff
8
ff

No.7 VALENCIANA

poco più f
cresc.
ff
un poco a piacer
pp
poco cresc.
p
cresc.
ff
poco meno f
pp
8

Poco più moto
f
p
dim molto e rit.
poco rit.
stacc.
f

8
Tempo I.
3
ff
poco a poco dim.
mf
pp
rall.

p
poco a poco
cresc.
ff
p
poco più
f
cresc.
ff
un poco a piacer

pp
poco cresc.
p
cresc.
ff
poco meno f
pp
ff
poco a poco dim.
mf
Andante
pp
rall.
dim.
pp

No. 8 SARDANA

Assai moderato
p
pp
ad libitum
più sf
a tempo
ad libitum
ff
fff

sempre cresc.
meno f
dim. sempre con pedal acel.nn poco
più molto
p
meno
a tempo

a tempo
meno
sf
p
ff
p
f
p
pp meno molto
poco rit.
Tempo I.
sf
sf

f
p
ff
mf
cresc.
ff
8
sempre
ff
8
8

sempre fff
ffff
Meno
p
rit.
Allegro molto
molto dim.
lunga

No.9 ROMANTICA

8
8
pesante
8
iz.
iz.
iz.
iz.
iz.
iz.
iz.
poco a poco cresc.
più f
ff
con bravura

fff
meno f
poco a
poco dim.
p
p

dim.
pp
Tempo I.

pesante
rall.
maestoso
iz.
a tempo
pesante
rall.

leggiero
con espressione
a tempo
poco rit.
meno
poco rall.

dim
pp
rit.
Vivo
f
lunga
lunga
sempre f
fff
fff

No.10 MELANCOLICA

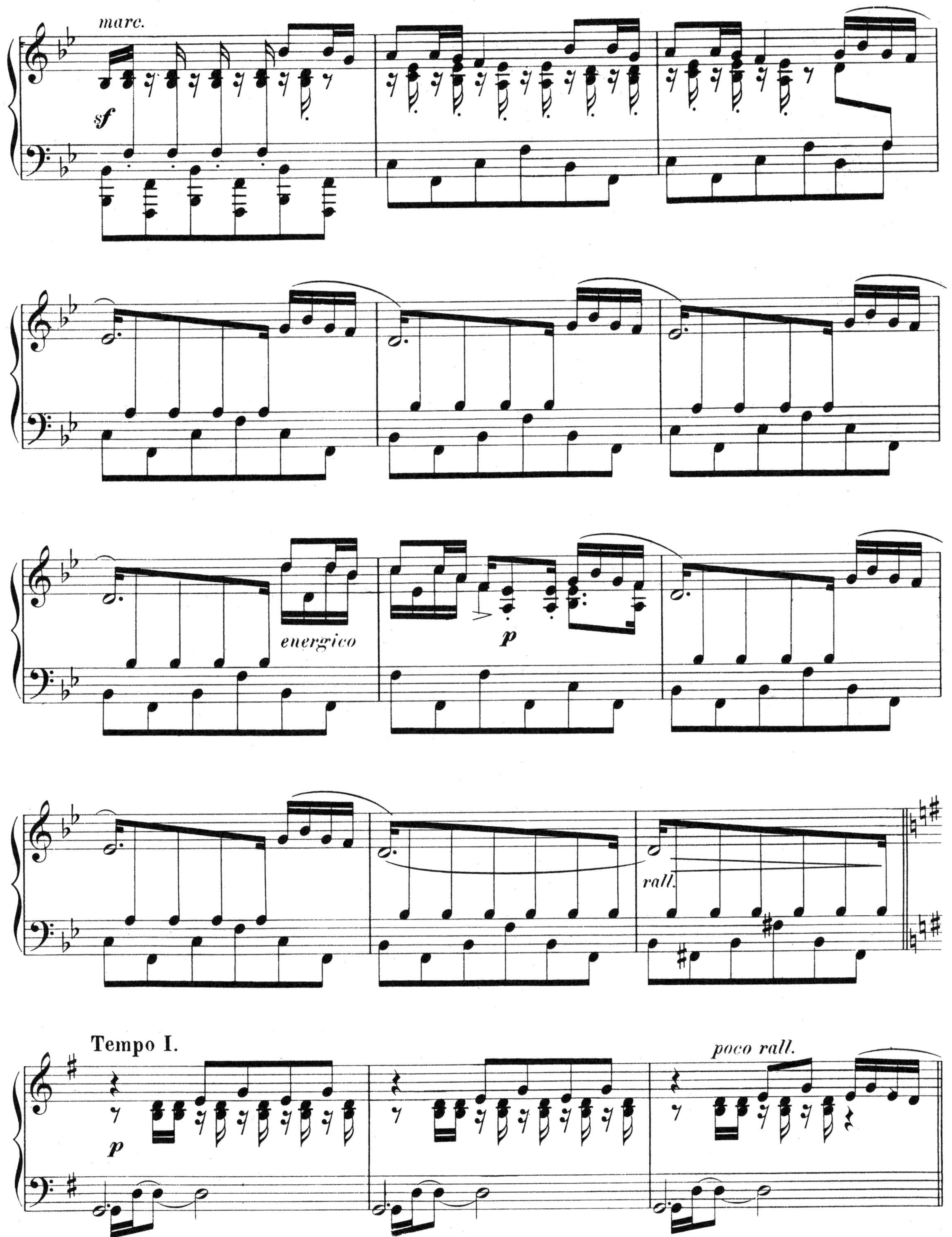
marc.
sf
energico
p
rall.
Tempo I.
p
poco rall.

a tempo
dim.
meno
reposando
accel. un poco
poco rall.
a tempo

p
p
molto riten.
Cantabile e rubato.
Andante.
string.
riten.
p
ten. il canto
ten.
accel.
riten.
poco animato
slargando molto
pp
sf
molto riten.

meno
sf
ff
pp
molto rall.
Tempo I.
pp
sf
p
sf
pp

marc.
sf
energico
p
rall.
meno
rall. e morendo
cadencioso
ppp
fff

No.11 ARABESCA

ff
ff
Ped.
dim.
p
poco cresc.
f
rit. molto

poco cresc
dim. poco a poco
Largamente.
(como recitativo)
p
rinf.
dim.
più f
dim. molto rit.
p a tempo misterioso
Largamente.
con sentimento
p

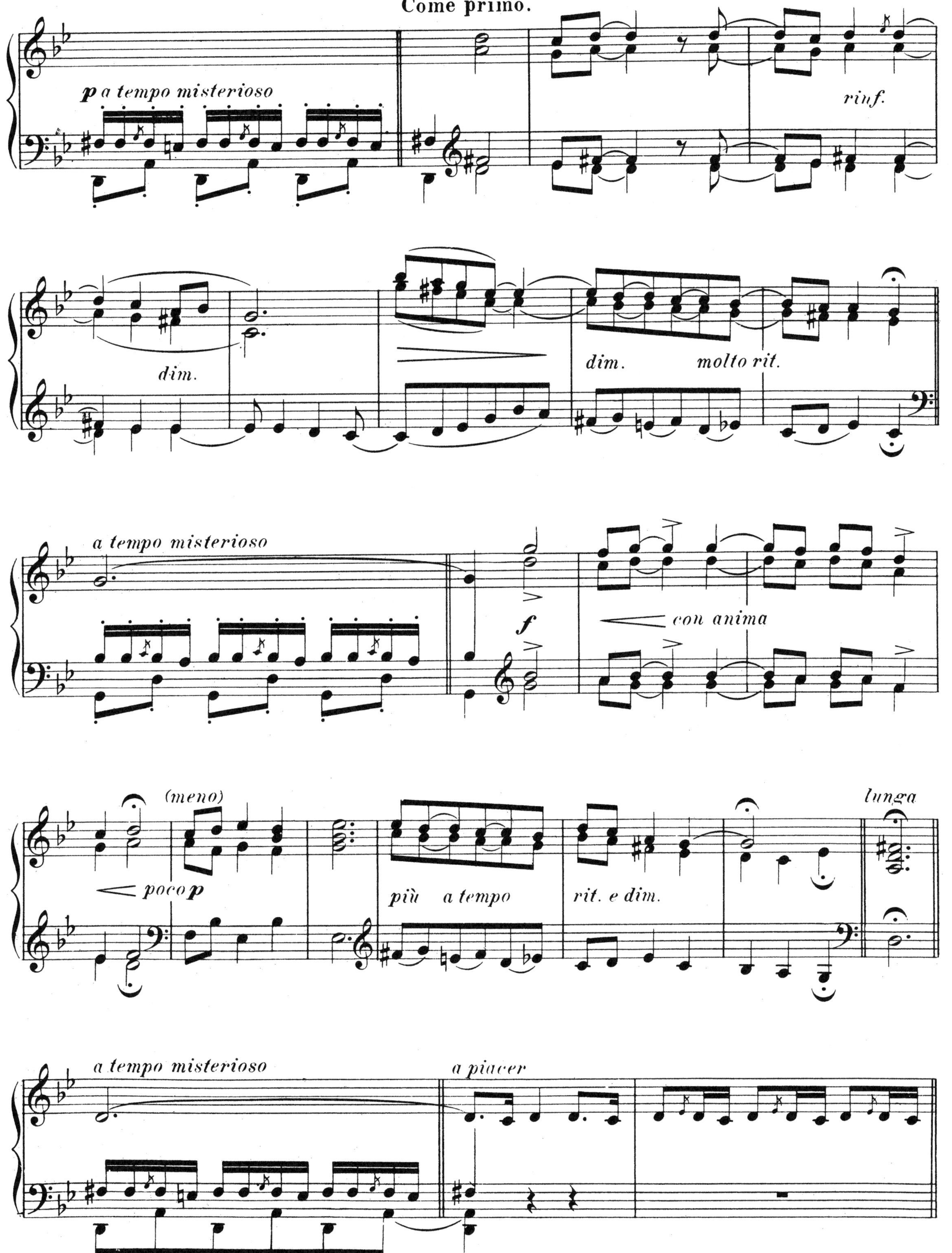
Come primo.
p a tempo misterioso
rinf.
dim.
dim.
molto rit.
a tempo misterioso
f
con anima
(meno)
poco p
più a tempo
rit. e dim.
lunga
a tempo misterioso
a piacer

p
poco cresc.
f
rit. molto
p stac.
p
ff
ff

dim.
poco cresc.
rit. molto
poco cresc.
dim. poco a poco
p
dim. e rit. molto

No. 12 BOLERO

Andante.
p
rinf.
rall. e dim.
stacc.
mf
ff
dim.
sempre dim.
suave
pp poco rit.
mf
ff
rinf.
suave dim.

a tempo
p
poco rit.
a tempo
ff
mf lusingando
Ped.
dolce
rit. molto

Tempo I.
poco a poco
rall. e dim.
Molto Andante espressivo.
marcato il canto
p
p
dolce
p
dim.
rit molto

marcato
poco rit.
sf doloroso e molto ten.
p
molto ten.
in tempo
morendo
tr
dim.
sempre
Andante.
p
rinf.
rall. e dim.

stacc.
mf
ff
Ped.
dim.
sempre dim.
soave
pp poco rit.
mf
ff
rinf.
a tempo
soave e dim.
p
poco rit.

Printed and bound in Great Britain